¿Qué tiempo hace?

Fiona Undrill

Heinemann
LIBRARY

Weather

www.heinemann.co.uk/library
Visit our website to find out more information about Heinemann Library books.

To order:
☎ Phone 44 (0) 1865 888066
🗎 Send a fax to 44 (0) 1865 314091
💻 Visit the Heinemann Bookshop at www.heinemann.co.uk/library to browse our catalogue and order online.

First published in Great Britain by Heinemann Library, Halley Court, Jordan Hill, Oxford, OX2 8EJ, part of Pearson Education. Heinemann is a registered trademark of Pearson Education Ltd.

© Pearson Education Ltd 2008
First published in paperback in 2008
The moral right of the proprietor has been asserted.

Editorial: Charlotte Guillain
Design: Joanna Hinton-Malivoire
Map illustration: International Mapping Associates
Picture research: Ruth Blair
Production: Duncan Gilbert

Translation into Spanish produced by DoubleO Publishing Services
Printed and bound in China by Leo Paper Group.

ISBN 9780431990316 (hardback)
12 11 10 09 08
10 9 8 7 6 5 4 3 2 1

ISBN 9780431990415 (paperback)
12 11 10 09 08
10 9 8 7 6 5 4 3 2 1

British Library Cataloguing in Publication Data
Undrill, Fiona
¿Que tiempo hace? = Weather. - (Spanish readers)
1. Spanish language - Readers - Weather 2. Weather - Juvenile literature 3. Vocabulary - Juvenile literature
I. Title
468.6'421
A full catalogue record for this book is available from the British Library.

Acknowledgements
The publishers would like to thank the following for permission to reproduce photographs:
© Alamy pp. **16** top left (Oote Boe Photography), **16** top right (Greg Vaughn), **20** botom right (Andre Jenny); © Corbis pp. **3** top right, **4** top right (Bettmann), **3** bottom right, **4** bottom right (Warren Faidley), **8** bottom right, **12** bottom left (image100), **12** bottom right (Owen Franken), **16** bottom left (Tony Arruza); © Getty Images p. **20** top right (Photodisc); © istockphoto.com pp. **3** bottom left, **4** bottom left, **8** top left, **8** top right, **8** bottom left, **12** top right, **19** bottom, **20** top left, **23** bottom; © 2007 Jupiter Images Corporation pp. **3** top left, **4** top left, **7** bottom, **7** top, **10**, **12** top left, **15** bottom, **15** top, **16** bottom right, **19** top, **20** bottom left, **23** top

Cover photograph reproduced with permission of © Alamy (Jim Zuckerman).

Every effort has been made to contact copyright holders of any material reproduced in this book. Any omissions will be rectified in subsequent printings if notice is given to the publishers.

Contenido

Try to read the question and choose an answer on your own.

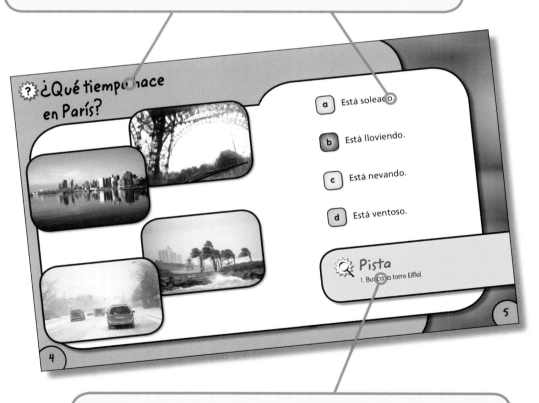

¿Qué tiempo hace en París?

a Está soleado.

b Está lloviendo.

c Está nevando.

d Está ventoso.

Pista
1. Busca la torre Eiffel.

4

5

You might want some help with text like this.

¿Qué tiempo hace en París?

a Está soleado.

b Está lloviendo.

c Está nevando.

d Está ventoso.

 **Pista**

1. Busca la torre Eiffel.

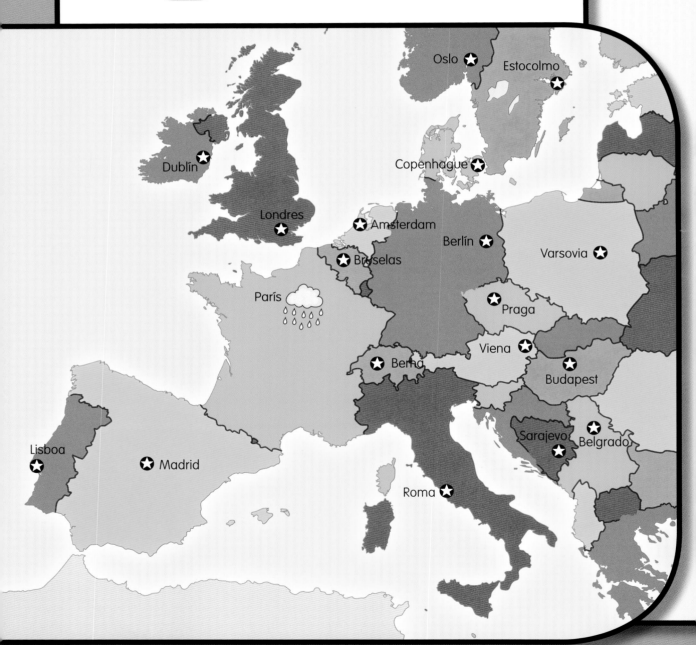

Francia

Capital: París
Población: 61 millones
Idioma oficial: francés

La torre Eiffel

¿Qué tiempo hace en Québec, Canadá?

| a | Hace frío. |

| b | Es un hermoso día. |

| c | Hace calor. |

| d | Está nublado. |

 Pistas

1. Busca la bandera roja y blanca de Canadá.
2. Hay nieve en la imagen.

Respuesta

a Hace frío.

Canadá

Capital: Ottawa

Población: 33 millones

Idiomas oficiales: inglés y francés

CANADÁ

Vancouver

Québec

Ottawa

ESTADOS
UNIDOS

Nueva York

Chicago

Washington DC

Los Ángeles

México

¿Qué tiempo hace en Londres?

a Hace frío.

b Es un hermoso día.

c Está nublado.

d Está lloviendo.

 Pistas

1. Busca el Big Ben.
2. En Londres hay un río.

Respuesta

 b Es un hermoso día.

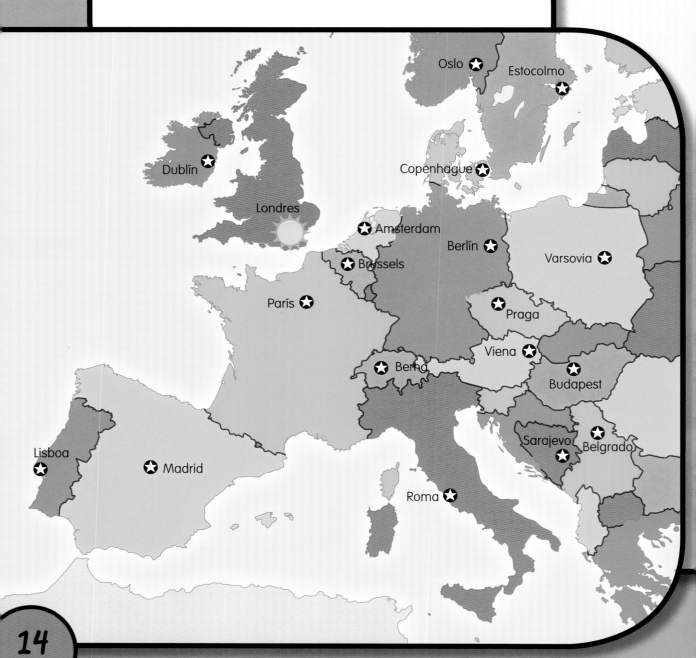

Oslo
Estocolmo
Copenhague
Dublín
Londres
Amsterdam
Berlín
Varsovia
Brussels
París
Praga
Viena
Berna
Budapest
Sarajevo
Belgrado
Lisboa
Madrid
Roma

14

El Reino Unido

Capital: Londres

Población: 61 millones

Idioma oficial: inglés

Big Ben

¿Qué tiempo hace en Nueva York?

a	Hay niebla.
b	Es un hermoso día.
c	Está ventoso.
d	Hace calor.

 **Pista**

1. Busca la Estatua de la Libertad.

Respuesta

a Hay niebla.

CANADÁ

Vancouver

Québec

Ottawa

ESTADOS

UNIDOS

Nueva York

Chicago

Washington DC

Los Ángeles

Ciudad de
México

Estados Unidos

Capital: Washington DC
Población: 299 millones
Idioma oficial: inglés

La Estatua de la Libertad

¿Qué tiempo hace en los Alpes suizos?

a	Nieva.
b	Hay niebla.
c	Hace calor.
d	Está soleado.

 Pistas

1. Busca la bandera roja y blanca de Suiza.
2. Los Alpes son montañas.

Respuesta

d Soleado.

Suiza

Capital: Berna

Población: 8 millones

Idiomas oficiales:

- Alemán
- Francés
- Italiano
- Retorrománico

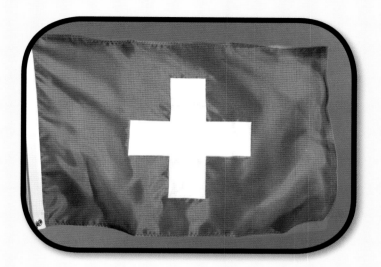

Chocolate suizo

Vocabulario